绘本馆
绘声绘色 童书汇
学会爱自己(第2辑③)
文字 / [德]安德烈·乌斯塔科夫　绘图 / [德]安可·浮士德　翻译 / 刘敏

（学会大声说"不"·学会悦纳自己）

不要随便嘲笑我

青岛出版社
QINGDAO PUBLISHING HOUSE

鸭嘴兽是种长相奇特的动物，
你见过就知道啦！

其他动物一看到鸭嘴兽，就嘲笑起她来。

"这是什么呀！"猴子捏着自己的鼻子怪声怪气地说。

鬣狗大笑着问："长着鸭子嘴的家伙，你打哪儿来？"

"她是从蛋里钻出来的！我亲眼看见的！"野猪说。

"从蛋里钻出来的？"
"那她可跟我们不一样！"
"她是只巨型鸭子吗？"
大家七嘴八舌地说。

"胡说八道！她要是只鸭子的话，怎么没有翅膀？"
鸭子嘎嘎叫着说。
"鸟儿应该有羽毛和翅膀，大多数都会飞！"
鹈鹕大叫着说。

"那我们来看看她会不会飞！"猴子说着，
跳到鸭嘴兽身边，把她从斜坡上扔了下去。

可怜的鸭嘴兽像块石头一样，
扑通一声掉进河里，
好半天也没浮上来。
大家都认为她肯定是被淹死啦！

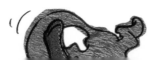

当鸭嘴兽突然浮出水面，毫不费力地向岸边游来时，
大家都惊讶得不知该说什么才好。
"这个奇怪的家伙！她也许是条鱼吧？
咱们问问河里的鱼！"

可是鱼讲的话，
谁都听不懂——
"噗噜……噗噜……"

"噗噜？噗噜？什么意思？说她是土拨鼠？"野猪说。

"别傻了！她才不是土拨鼠！"

猴子说，"土拨鼠的嘴巴又短又平。

可这家伙呢，却长着张鸭子嘴！"

鬣狗大笑着说："那就叫她'长鸭嘴的家伙'！"

所有的动物都哈哈大笑起来。

鸭嘴兽非常生气。

"他们说我的嘴巴长，可是鹈鹕的嘴巴也很长呀！

——不过，我最好不要说出来，

否则他们又该没完没了地嘲笑我了。"

此时，她多希望自己能有个朋友啊！

可是大家都不想跟鸭嘴兽交朋友。

"我才不要跟你做朋友，你的嘴巴真难看！"猴子说。

"你长得太丑啦！"野猪说。

鸟儿们也不喜欢她，

有一只小鸟还总跟在她身后嘲笑她：

"小丑鬼，小丑鬼，长着一张鸭子嘴！"

鸭嘴兽只好躲进自己的洞里不出来。
只有到了晚上，她才偷偷到河里去找东西吃。
她再也不愿见到别的动物，
怕被他们没完没了地嘲笑。

后来，鸭嘴兽决定离开这里，她想：
"走得越远越好，最好走到天涯海角去。"
虽然鸭嘴兽也不知道天涯海角在哪里，
但她还是收拾好东西出发了。

这一路，鸭嘴兽可真辛苦。
她有时跑，有时爬，有时钻，
有时从一个小岛到达另一个小岛……

她真的来到"天涯海角"的时候，
实在太累太累，
趴在岸边睡着了。

鸭嘴兽再次睁开眼睛时，发现身边有一个个庞然大物——
他们长得很像兔子，但比兔子大好多好多……
"这下可好了，"鸭嘴兽对自己说，
"他们又要嘲笑我啦！"
可是等了半天，她也没听到什么动静。

"请问，这里是世界的尽头吗？"
鸭嘴兽问一只袋鼠。
"才不是呢！"袋鼠说，
"这里是澳大利亚。"
说完，他就静静地走开了。

"您不觉得我长得很奇怪吗？"
鸭嘴兽小心翼翼地问另一只袋鼠。
"不奇怪呀。为什么这么问？"
"难道您不觉得，我的嘴巴长得像鸭子嘴？"
"那又怎么样呢？"袋鼠问。

一只小袋鼠从"袋子"里探出头来，奶声奶气地问：
"你的嘴巴哪里奇怪了？"

"你见过考拉没有？他的鼻子长得
就像马戏团里小丑的鼻子！"大袋鼠说。

"可我是从蛋里钻出来的，就像鸟儿一样。"
"又不是只有你自己这样！"小袋鼠说，
"你认识针鼹吗？他长得像只刺猬，
却也是从蛋里钻出来的！"

"可是从蛋里孵出来的动物，应该是鸟才对，
还得会飞！"鸭嘴兽说。
"你怎么会这么想呢？"小袋鼠奇怪地说，
"鸸鹋是鸟，可他根本不会飞！"

"长着小丑鼻子的考拉，从蛋里钻出来的针鼹，
叫鸸鹋的不会飞的鸟，以及肚子上有袋子的大兔子！
这里的动物都很奇怪！我算是来对地方啦！"
鸭嘴兽想。

"我能留在这里吗？"鸭嘴兽问。

"当然！反正澳大利亚大得很！"大袋鼠说。

"谁都能来，这里有的是地方！"小袋鼠说。

就这样，鸭嘴兽留了下来。
她在河岸边挖了一个又大又舒服的洞，
生活得自在又开心。

有时候会有一些人类的孩子来岸边玩，
他们看到鸭嘴兽，就会嘲笑她：
"那只动物长得多么奇怪啊！"

不过鸭嘴兽没有工夫理会别人的嘲笑了，
因为她很快就会有自己的孩子啦——
他们也都是从蛋里孵出来，都有一张长长的嘴巴。
他们长大以后，可能会说：
"人类多么奇怪呀！他们不是鸟，也不是鱼……
他们像鸸鹋一样用两条腿走路，可是又没有翅膀！"

"他们能像袋鼠一样跳，可又没有尾巴！"
"不要嘲笑别人！"鸭嘴兽会说，"地球大得很，
只要愿意，谁都可以在这里幸福地生活！"

图书在版编目(CIP)数据

不要随便嘲笑我 / [德]乌斯塔科夫文；[德]浮士德绘；刘敏译 .
一青岛：青岛出版社 , 2012.10
（学会爱自已·第 2 辑；3）
ISBN 978-7-5436-8873-5

Ⅰ.①不… Ⅱ.①乌…②浮…③刘… Ⅲ.①儿童文学 – 图画故事 – 德国
– 现代 Ⅳ.① I516.85

中国版本图书馆 CIP 数据核字 (2012) 第 237733 号
山东省版权局著作权合同登记号　图字：15-2012-153 号

Bin ich anders ?
by Andrej Usatschow and Anke Faust
© 2012 Nordsüd Verlag AG, CH-8005 Zurich/Switzerland

书　　名	**学会爱自己（第 2 辑 ③）·不要随便嘲笑我**
文　　字	[德] 安德烈·乌斯塔科夫
绘　　图	[德] 安可·浮士德
翻　　译	刘　敏
出版发行	青岛出版社
社　　址	青岛市海尔路 182 号（266061）
本社网址	http://www.qdpub.com
邮购电话	13335059110　0532-85814750　　（传真）0532-68068026
策划编辑	谢　蔚　刘怀莲
责任编辑	刘怀莲
特约编辑	郭　利
装帧设计	稻　田
印　　刷	青岛嘉宝印刷包装有限公司
出版日期	2013 年 1 月第 1 版　2015 年 11 月第 11 次印刷
开　　本	16 开（787mm×1092mm）
印　　张	8.25
字　　数	160 千
书　　号	ISBN 978-7-5436-8873-5
定　　价	58.00 元（全 4 册）

编校质量、盗版监督服务电话　4006532017
青岛版图书售后如发现质量问题，请寄回青岛出版社出版印务部调换。
电话：0532-68068638